제1화 「흡혈귀 블라드」

어머니는
어떤 사람이었어?
그렇게 물으면
다들 언짢은 얼굴을
했기 때문에
어느샌가 나는
그 질문을
하지 않게 되었다…

가까이
오지 마!!

움찔

하아
….

또
이 꿈인가….

내 이름은
토모하루.

이
작은 마을에서
태어나

4살 때
어머니를
잃었다.

신기한걸.

여기 오면
진정이 돼.

정말 뭔가
있다거나.

그 꿈은
유일하게 남은
어머니에 대한
기억이다.

하진
않겠지만.

하하
하하.

꺄아
아아!

으…
어….

뭔가 착각하고
있군.

녀석의
양분으로
만들지 않기
위해서다.

네놈을
데려온 건
구해주기
위해서가
아니다

목을 비틀어
죽여 버렸을
것이다.

그렇지 않으면
나를 방해한
네놈 따위

으

피를 마시면
모두 원래대로
돌아온다.

벼… 병원에
가죠.

콜록

콜록

피를
마시면
말이지….

그런 것은
필요 없다.

괜찮으신
가요!

이 근처의 인간을 잡아먹지.

예를 들어, 방금 전의 그 여자는 오니다.

엑…

그래…. 그래서 이 땅에 대해서는 대강 다 안다.

이 땅에 자리 잡고 산 지 벌써 백 년은 족히 지났지.

그렇게나 오래요?!

하나, 양보할 생각은 없다.

흡혈귀와는 기질이 맞지 않는 거다.

같은 먹이를 쟁탈하고 있으니까 말이다.

이곳은 나의 토지다.

하지만 뭔가 마음에 걸리는 것 같아.

그러니까 양쪽 모두 인간의 적이라는 거잖아.

난
조금
더…

여기서…

쉬다
가…

마…
….

잡아먹히고
싶지는
않겠지.

내 옆에
있으면
또 오니가
덮쳐올 거다.

이봐.

얼른
꺼져라.

예?!

털썩

블라드 씨…

왜 천장이
보이는
거지….

너인가…

아!
블라드 씨
깨어나셨나요?

재가
되지는
않아….

그대로
그곳에 있었다면
햇볕을 쬐어서
재가 됐을 거예요.

게다가
블라드 씨는
흡혈귀잖아요.

내 옆에
있지 말라고
했을 텐데….

그래선
곤란하잖아요.

힘이 나지 않게
되는 것뿐이다.

못 본 척
하다니,
그럴 수는
없어요.

20

처음부터예요….

자주
꿈을 꿔요.

하나?

어머니에
대한
기억이라곤
하나밖에
없는데….

이상
하죠….

하지만
분노나 증오는
끓어오르지
않아요.

그저…

어머니가
자신에게
매달리는
어린 저를
향해…

다가오지
말라고
강한 어조로
외치는
거예요.

정말
지독한
꿈이죠.

그래….

그랬어….

전부 기억났다….

그렇게
하는 것이
내 바람이기
때문이다.

그 뒤…

블라드 씨나
오니의 모습은
보지 못했다.

고맙다….

그리고
그 꿈도
꾸지 않게
되었다.

이럴 때는
그곳에
가자….

조금
쓸쓸한
기분도
들어….

이름	블라드
신장	185cm
좋아하는 것	단 음식, 재봉
싫어하는 것	햇볕 등 흡혈귀가 불편해하는 것들

블라드 씨 없나….

이쪽에 있는 것 같은 느낌이 들어.

역시 이쪽에 있는 것 같은 느낌이 들어.

제2화「여우의 꽃」

이 나라는
사람과 오니…
그리고 신이
너무나도 가깝다

그것은 때때로
나를 매우
괴롭게 한다.

마을
변두리의
산기슭에
자리한
신사.

그곳에는
조금 별난
신이
살고 있었다.

이봐…

하하하하
맛있어
보이는
인간이다!!

걱정
하지
마라!!

괴롭지
않게
끝내
주마!

실은 나도
배가 고픈
참이었다….

왜
도망치는
거지?

뭐든
하겠습니다!

넙죽

죄송합니다!!
죄송합니다!!

블라드
님인 줄도
모르고
결례를
저질렀습니다.

그러니 제발
목숨만은
살려주세요!

하지만…

그녀를
만나게 되었다….

죽는 거냐…?   시오리….

죽는
거냐…?

신령불요의
꽃….

바로
따다 줄게!

만병에 듣는
약이라고
불리고 있습니다.

예.

그것이
이 산의 정상에
있는 거냐.

시오리에게
꽃을 건네 준
뒤라면

넙
적

부탁
합니다!!

어떤
벌이라도
받을
테니까요!!

제발
눈 감아
주세요!

반드시
구해줄
테니까….

미안해요….

나도 있어!

으... 응...
있어.

그렇
구나….

당신.
소중한
사람은
있어?

어?

그런
몸으로...

기...

기다려.

그러니까
가 봐야
해...

사라졌다....

한 걸음
한 걸음
나아가면 돼….

몸은
움직인다
….

발은
움직인다
….

손은
움직인다
….

반드시
제시간에
맞추고
말 테니까….

앞으로
한 걸음….

앞으로…

앞으로
한 걸음….

저, 거짓말을 했습니다.

사실은 신령님의 항아리를 깨서 저주받은 게 아니에요….

아뇨….

있어요.

금서를 읽었습니다.

거기에는 신령불요에 대해 적혀 있었습니다.

블라드 님도 알고 계셨던 거죠….

이 꽃은
생명을 빨아들여
개화합니다.

금서에는
많은
오니들이

인간을 이용해
개화시켰다고
적혀 있었습니다.

그것 말고는
방법이 없다고
생각했으니까요….

저도
같은 방법을
쓰려고 했던
겁니다.

하지만…

그 외에도
방법이
있었어요.

제3화「숭상 받은 자들」

이쪽
입니다

발이
무겁다…

신이 된 지
벌써
백 년 이상
흘렀으나…

이대로
똑바로
나아가십시오.

으극!

아직 붙어있는 것이 있군요.

질까보냐!

엿차

이 정도 쯤이야.

에잇

토지신 야히코라고 하면

나다!

후후후... 그냥 찌부러뜨려 버릴까요...

삼신 중 한 명이 아닌가.

그

그만 둬 하쿠렌!

토지신인 야히코다!!

모습을 본 적이 있는데...

뭐?!

믿어
줘~~
~~!

결코
이런 참새가
아니야

아…
아무것도
없어….

뭔가
증명할 수
있는 것이
있나요?

믿으라
말해도…

그래도
녀석은
가짜야!!

게다가
그와는 방금
만났습니다.

용모만이 아니라,
신기도 같아서
야히코가
틀림없었습니다.

이런 모습이
될 정도로
바보는
아니라고
생각합니다.

그를
싫어합니다
다만

그럼
무리군요.

그런
바보라고!

내 힘과 기억을 손에 넣은 오니라고!!!!

그 녀석은 내 몸을 먹어치우고

그… 그건…

아히코 님 정도의 분이 왜 오니 따위에게

……

진짜라고 해도 도와주고 싶은 마음이 들지 않게 돼 버렸습니다.

그냥 내버려두죠.

너무해! 남자라면 넘어가는 게 당연하잖아

소란스럽군….

하룻밤을 함께 보내고…

꿀꺽 하고…

쿨쿨 자고 있었더니…

들썩!

너무나도 귀여운 소녀가 유혹하기에…

당신은…

야히코 님이 아닙니다.

하하하
그거 대단한 근거로군!

감입니다.

호오.

갑자기 뭘 근거로

내가 야히코가 아니라고 단언하는 거지?

일종의 공포를 느꼈습니다.

그것은 신이 된 지금도 달라지지 않았습니다.

나는 이 나라에 다다라 처음으로 신이라 불리는 존재를 보았을 때…

흥.

그저 방해를 하고 싶었던 것 뿐입니다.

나는 야히코를 싫어하니까 말이죠.

알겠습니다.

저 녀석들을 쫓아라!!

너희 뭘 멍하니 있는 거냐!!

반드시 쳐죽여주마….

젠장

실은 너도
신으로는
보이지 않는다.

헤?!

허나…

거짓말을
하는 것처럼
보이지는
않았다.

그런데
야히코여…

뭐나?

신기가
느껴지질
않는다

어쩔 수
없잖아
이런 모습
이니까

모습 때문이
아니다.

그런 말
자주 들어…

그밖에 더 강한 신이나…

네가 아히코 님 이라면

왜 나를 고른 것이냐?

상냥한 신이 있었을 텐데…

내게는 아주 약간의 힘밖에 남아 있지 않았다.

힘의 대부분을 오니에게 먹혀서

목숨은 건졌지만…

저 참새를 붙잡아라!

얘들아—

파다닥

그래도 크게 걱정하지 않았다…

날아서 도망치고 싶어도

알겠습니다.

분명히 다른 자들이 가짜를 알아차리고 퇴치해 줄 것이라고 믿었기 때문이지…

될 수 있는 것은 참새 정도.

ㅎㅎ…

안심할 수
있었다….

이제 곧 녀석이 있는 곳에 다다를 거다.

뭐?!

네 사자를 따돌리기 위해서 말이지.

나는 우회하고 있던 것 뿐이다….

왜 돌아온 거야!

부하가 다치는 것을 보고 싶지 않겠지….

오늘 밤은 만월….

블라드….

110

사냥하기
좋은
날이다….

아히코로
충분해….

블라드….

그래도
뭐…

자기가 벌인 일의
뒷수습도 못하는
신 따위
죽어버리는 편이
더 낫습니다.

뭐가
다행
이냐!!

너
눈치 챘지!
하쿠렌!

큰일로
번지지 않아서
다행이군요.

웃기지
마!

그럼 좀
도우라고!!

미안했다.
블라드….

널
말려들게
해서….

으으….

가엾은
블라드….

이렇게나
다쳐서는.

신경 쓰지
마라.
야히코.
내가
선택한
결과다.

게다가 오늘은
기분이 좋다

아주…

기분이
좋아.

이름　　　　아히코
신장　　　　190cm
좋아하는 것　여성
싫어하는 것　하쿠렌

이름　　　　하쿠렌
신장　　　　181cm
좋아하는 것　아름다운 것
싫어하는 것　추한 것(특히 아히코)

제4화 「결여된 아운」

신사를
지키기 위해
나란히 놓인
두 마리의
코마이누…

언제나
함께.

둘이서
하나.

하지만
이곳에는
한 마리밖에
없다…

토지신
야히코

제 주인이시며
삼신이라고
뭇 사람들의
두려움을
사고 있는
신이기도 합니다.

토지신
블러드

흡혈귀이면서
신사의
신이기도
합니다.

냉혹하고
무자비한
신이라고
소문이 나
있습니다만,

그것은 결국
소문에 지나지
않았다고
직접 만나 뵙고
확신하게
되었습니다.

하지만 실제로는
평범한
호색가입니다.

무척 아름답고
마음이 따뜻한
신령님이십니다.

기분 탓입니다.
야히코 님.

저기
스구루…

설명에
뭔가 악의가
담긴 것 같은
느낌이 드는데…

좋다….

들어가라.

뭐?

너…
너 대체
누구냐….

나는
코마이누다.

신의 목숨을
노리고 있을지도
모르는 녀석을
들여보내는 거냐?

그래….

딱히
그 녀석이
죽든 말든
아무래도
좋다….

이 신사의
코마이누…

아즈키다.

코마이누는
신을 지키는
존재잖아!!!!

뭐냐,
멍멍아.

신은 다쳐도
신경도
안 쓰면서

신사에
상처가 나면
격분하는 거냐.

이 자식!!
신사에
상처를
입히지
마라!!

블라드….

뭘 하고
있는 것이냐!

?!

대체 뭐냐.
저 시건방진
코마이누는!!

아즈키는
이 신사의
선대 신을 모시던
코마이누다.

우리 신사의
코마이누다….

신경이
안 쓰이는
거냐!

너를 전혀
신으로 여기지
않는다고!!

그 사실을
받아들이지
못한
또 한 마리의
코마이누는
이 신사를
떠났지.

선대가
죽고…

내가
신의 자리에
올랐지만…

그러나 아즈키는
이 신사에
남아 주었다.

그럴지도
모르지….

선대의 신사가
소중했기
때문이겠지.

하지만 그래도
그 뒤로
백 년 이상…

함께
이 신사를
지키며…

살아온 거다.

그거
지옥이로군.

그런
코마이누는
얼른
처분해 버리고

유능하고
순종적인
코마이누를
부르는 편이
더 나을 거다….

야히코….

방법을
알려줄까.

네가 그렇게
냉정한 말을
하리라고는
생각도 못했다….

블라드에게 미움을 산 것 같은 기분이 들어….

괜찮을 겁니다.

블라드 님은 마음이 넓은 분이시니까요.

정이 든 것 이겠지요.

오랜 시간 같이 있으면서

어떻게 블라드는 그런 녀석에게 상냥하게 대할 수 있는 거지?

덥석

쿵

그 점이 화가 난다고!

그건 그 녀석도 마찬가지인데

태도가 그 모양 이라고!

아야!

다 말해 주마!

블라드에게는 말하지 마라.

들키고 싶지 않은 거지?

하하 하하!

뭐냐, 그 모습은!!!!

블라드는 네 놈과 달라서 눈치가 빠르다.

내가 이 모습을 하고 있는 이유도 바로 알아차릴 거다.

그만둬.

응? 그게 무슨 말이냐?

그렇다.

사람의 형체를 유지할 수 없을 정도로

생명력이 남아있지 않은 겁니까?

주인을 잃고
생명력을
받을 수
없게 되면…

새로운 주인과
계약을
하지 않는 한…

저희 같은
사자나
코마이누…
식신 등

주인의 손에
만들어진
생명은…

언젠가
생명력을 잃고
사라질
운명입니다.

주인에게
생명력을 받아
살아갑니다.

이봐….

그러니까
그 말은….

머지않아 넌
죽는다는 거냐….

그렇다.

겨우
선대가 있는
곳으로
갈 수 있게
되었는데….

이 일이 들통 나면
아마도 나를
구하겠다고
소란을 피우겠지.

그 녀석은
물러
터졌다.

방해받고 싶지
않다.

블라드에게는
아무 말 않고
있는 거냐!

당연하지.

146

얼마 안 남았나….

대체 어딜 간 거야….

블라드.

블라드.

아, 그래.

나는 곧 사라진다….

어디 가는 거냐.

그렇게 죽고 싶으면

아무것도 없다….

선대가 죽었을 때 자해했으면 되잖아!!

나는 죽고 싶지 않았다….

블라드에게 전하고 싶은 말은 있냐.

없다.

나는 영원히
나의 신과
이 신사를
지키며…

살아가고
싶었다.

신령님….

받아들일 수
없는 신이
온다고 해도…

나는
나가겠어.

당신을
잃고…

반쪽을
잃고…

다행이다….

저는
당신이 사랑한
이 신사를
떠날 수가
없었습니다.

아즈키가
남아줘서
정말 다행이야….

나 혼자였다면
불안에
짓눌려버렸을 거다.

그런 나라도
네가
필요하다고
한다면…

늘 나 자신의
나약한 부분만을
생각한
비겁한
녀석이었구나….

그래….

별 수 없으니까
같이 있어주마.

블라드….

그런데 왜
생명력이
가득한데…

여전히
이 모습인 거지?

다소
막무가내
였지만

다소 정도가
아니잖아!

진짜
계약한
거냐?!

거절한다.
다음번에는
거부할 거잖아.

블라드!
함께
해라!
다시
계약해!

하하하,
그 모습이
더 잘 어울린다.

뭐어어?!

뭐?!

강하게 의식하면
인간의 모습으로
변신할 수
있습니다만,
긴장을 늦추면
원래대로
되돌아올 겁니다.

그건
계약 당시의
모습이
기준이
되기
때문입니다.

덥석

꺄아
아악!

이 시간이···

영원히
계속되면
좋겠다.

블라드···

이 모습으로 있으면…

이상해
…

이 모습으로 있으면…

굴굴
굴굴

뾰옹ㅡ!!

좁은 곳에 기어들어가고 싶어진다.

다르다고 생각한다만…

과연….
관에 들어가는 흡혈귀의 마음을 조금은 알 수 있었다.

이름 아즈키
신장 176cm
좋아하는 것 주인의 신사
싫어하는 것 주인의 신사를 상처 입히는 것

제5화「따뜻한 눈」

뭐냐, 그 머리꼴은!!

응?

왜 그런 모습이 된 거냐?

글쎄…

아마도 저주거나…

뭔가에 쓰인 것이겠지…

과연….

머리카락이 새하얗군….

눈동자도 말이지.

왜냐….

왜 움직일 수 있는 거냐….

대단히 신경 쓸 일은 아닌 것이겠지.

하나 몸 상태는 딱히 나쁘지 않다.

신경 써….

그 몸을 넘겨라!

?!

블라드!

블라드…?

후후
…

후후후
…

아이를 갖는 자들도 적지 않단다.

시체에 옮겨 타… 제2의 인생을 손에 넣은 설녀 중에는…

인간 남성과 사랑을 해…

저 아이도 그렇게 태어난 아이겠지….

그냥 놔두려무나….

신령님! 죽지도 않았는데 그것에 빙의된 바보가 있습니다!

저 아이에게서 어머니를 빼앗는 것은 마음이 편치 않구나.

게다가, 인간으로 살아가는 설녀는 무해하단다….

아마도
관에서 자는
블라드를
시체라고
착각한 것이겠지…

하지만
블라드는 남자.

뭐어…

얼굴만 보고
성별도 착각한
것이겠지만….

우와.

못 볼 꼴을
볼 것 같아….

인간 남성과
사랑을 해…

아이를
가지는 자도
적지 않단다.

구하러 가는 거
그만두자…

없다!

아니,
있다!

없어!

아!

젠장!

뭐,
됐어….

뭐냐,
이 몸!

남자잖아!!

왔다!

히로키….

제 이름을
아시는군요….

히로키!!

이 방은….

일어나셨
나요?

아….

아까도
부르셨어요.

가위에
눌리면서….

위험해
….

당신은
저를 아시는군요.

전 당신을
모르는데 말이죠.

조—용"

왜, 왠지
태도가
차가워….

차갑게
대하게 되는
모양이에요.

당신이 어딘지
어머니와 닮아서

어….

죄송합니다….

다…
당신은…

어머니를
싫어하나요….

네 네놈의
의식은
내가
빼앗았을 텐데.

너 정도의
오니에게
쓰이거나 하지는
않는다.

빼앗긴 척을
한 것뿐이야.

네 마음을
알기 위해서
말이지….

역시 넌
그 아이의
어미였군….

?!

역시
엄마는

히로키….

엄마였어….

안녕….

은혜 갚은
학이라든가….

자주 듣는
이야기로군.

인간인 척 하는
오니는
인간에게 정체가
발각되면

그 아이
에게는

어떤 사정이
있었다고
해도…

인간의 모습을
유지할 수 없게
됩니다….

자식을 버린
어미일
뿐입니다.

원망 받는 것도
당연합니다….

그런가
….

예?

그럼
확인하러
가 볼까….

그날부터
그 소년은…

하루도
빠뜨리지
않고…

어떤
날이라도
신사를
찾아왔다.

매일…
매일…

어디에
가는 건가요?

어느 날
한 소년이
신사를
찾아왔다.

신령님·

신령님·

부디
신령님….

엄마가 무사히 돌아올 수 있게 해 주세요….

분명히…

오늘도 그곳에 있을 거다….

후기 타임

단행본이
나왔어요!!

얏호—!!
단행본입니다!!

「신이라고 불린 흡혈귀」
1권을 읽어주셔서
감사합니다.

여러분
처음 뵙겠습니다
작가인
사쿠라이 우미라고
합니다.

음, 좋네요
이 흡혈귀
플롯으로
네임 작업에
들어가 주세요.

해냈다—!!

이걸로
플롯 지옥이
끝났다—!!

왜인지 제대로
송신되지 않았다는
불운한 일도
겪었습니다만…

메일은
두 통밖에
안 왔는데요.

담당자

예?!
바로
보내겠
습니다!

신사의
신령님이
흡혈귀라는
설정이었습니다.

플롯을 짰다가
엎는 것을 거듭하던
어느 날 문득
생각난 것이

197

제쳐둬도
되는 건가요….

라는 얘기는
제쳐두고

콘티
바보 자식

그러나
거기서부터
기나긴
콘티 지옥이
시작되는
것이었다….

좀 더
멋진 남자로
그려주세요.

…라고
담당자가
말했기
때문에

블라드는
처음에는
이런 얼굴을
하고
있었습니다.

어느 쪽이냐면
미소년이었죠.

정말로
이런 상태가
되었습니다….

멋진 남자
라는 게
대체 뭐냐—!

몇 번이나 계속해서
그림체변경 요청을
받았습니다

좋아요.

그리고
지금의
블라드가
탄생했습니다.

머리카락도
길어지고,
차분한 분위기의
미청년이
되었습니다.

198

원래 소년만화를 목표로 하고 있었기 때문에

밝고 기운찬 주인공들만 그리고 있었습니다.

하하하

원래의 블라드도 성격이 꽤 밝았답니다.

이 블라드로 다시 한 번 더 네임을 고쳐주세요.

한 번 OK를 받았던 네임을 다시 그리게 되었습니다.

그런데 블라드의 외모가 바뀐 탓에…

으아아앙아

어떻게 하면 이렇게 차분한 어른 주인공으로 이야기를 풀어나갈 수 있는 거냐…

멍

새로운 발견!

차분한 주인공도 나쁘지 않아.

무슨 일이든 도전해봐야 하는 법이네요.

오오!

응?

오!

하지만 실제로 풀어나가 보니…

연재를 고려해서
3화도
그려주세요.

2화도
그리고…

오오오!
정말인가요!!

그리고
네임이
통과되고…

단기연재를
생각해서
2화도
그려주세요.

신난다ー!

3화는
연재를 고려한
이야기로서
만들어졌습니다.

2화는
단기연재작
으로서

때문에
1화는
단편물로서

그리고
4화의
코마이누
말입니다만…

이제 아무것도
무섭지 않아!!

3화에 들어서야
주요 인물이
등장한 것은
그런 이유
때문입니다.

블라드 동료가
생겨서
잘됐구나.

놀랍게도 원래는 가장 첫 플롯부터 등장하던 인물입니다.

다시 말해, 등장은 늦었지만 너희보다 먼저 태어난 선배인 거다.

에에?!

연재를 하지 않았더라면 블라드는 다른 신령님들이나 코마이누와 만나지 않았겠지요….

맙소사

단편은 등장인물의 수가 한정되기 때문에

울며 겨자 먹기로 잘라낸 인물이었습니다.

그럼 여러분, 다음 권에서 또 뵙죠!

괜찮으시다면 감상을 보내주세요ㅡ.

담당자 님
어시스턴트
가족
그리고 이 만화에
관여해주신 여러분
감사합니다!

블라드의 다양한 만남과 이야기를 그릴 수 있는 지금이 정말로 행복합니다!

앞으로도 독자여러분이 좀 더 이 이야기를 즐기실 수 있도록 노력하겠습니다.

신이라고 불린 흡혈귀 1

초판 1쇄 발행 2020년 11월 20일

만화_ Umi Sakurai
옮긴이_ 이진주

발행인_ 신현호
편집부장_ 윤영천
편집진행_ 김기준 · 김승신 · 원현선 · 권세라 · 유재슬
편집디자인_ 양우연
내지디자인_ CMY그래픽
국제업무_ 정아라 · 전은지
관리 · 영업_ 김민원 · 조은걸 · 조인희

펴낸곳_ (주)디앤씨미디어
등록_ 2002년 4월 25일 제20-260호
주소_ 서울시 구로구 디지털로 26길 111 JnK디지털타워 503호
전화_ 02-333-2513(대표)
팩시밀리_ 02-333-2514
이메일_ lnovelpiya@naver.com
ㄴ노벨 공식 카페_ http://cafe.naver.com/lnovel11

KAMI TO YOBARETA KYUKETSUKI vol.1
©2015 Umi Sakurai / SQUARE ENIX CO., LTD.
First published in Japan in 2015 by SQUARE ENIX CO., LTD.
Korean translation rights arranged with SQUARE ENIX CO., LTD. and D&C MEDIA Co., Ltd.
through Tuttle-Mori Agency, Inc.

ISBN 979-11-278-5746-2 07830
ISBN 979-11-278-5745-5 (세트)

값 5,500원